Zu diesem Buch

Obwohl diese Comics in Frankreich, genauer in Paris, spielen, sind Ähnlichkeiten mit bundesrepublikanischen Zuständen nicht zufällig. Also: der sozial-liberale Reformboom ist vorbei, des Jahres 1968 wird nur noch mit nostalgischem Aufseufzen gedacht. Liebevoll wird der letzte, schon etwas vertrocknete Farbbeutel in die Kiste für den Nachlaß gepackt; damit Opa den Enkeln beweisen kann, was er für ein Kerl war – damals. Es kommen Job, Ehe, Kinder, Geliebte – man hängt so rum. Und Claire Bretécher, ehemalige Klosterschülerin und Zeichenlehrerin aus der Provinz, zeichnet das alles auf. Zuerst muß sie mit ihren Comics hausieren gehen, dann bekommt sie eine regelmäßige Kolumne im «Nouvel Observateur», schließlich hat auch das amerikanische Feministenblatt «Ms» die Bretécher entdeckt – vorzugsweise die Cartoons, die sehr kritisch mit den Feministinnen umspringen. In ruhigen Totalen, mit einem widerborstigen Kinderzeichenstrich und viel sehr genau hingehörtem Text schreibt sie das Protokoll ihrer Zeit, unserer Zeit. Roland Barthes nennt sie den «besten französischen Soziologen», und ihre Zeichnungen haben auch etwas von einer bösen protokollarischen, amoralischen Bestandsaufnahme. Frustriert sind sie alle, die ihre Hoffnungen, wenn nicht schon gleich beerdigt, so doch auf Eis gelegt haben; alle diese Individualisten, die in den gleichen gestylten Klamotten in den gleichen gestylten Wohnungen sitzen. Die sich ihr Leben von den In-Out- Listen des «Playboy» normieren lassen und die deshalb immer so gehetzt sind. Leute, die ihren Alfa links von der SPD parken und finden, daß man mit Biedenkopf doch wirklich noch reden kann. Sie sind die französischen Verwandten der Typen aus Poths «Progressivem Alltag». Sie kennen das Personal. Erkennen Sie sich?

CLAIRE BRETÉCHER

Die Frustrierten 1

ROWOHLT

rororo tomate
herausgegeben von Klaus Waller

Veröffentlicht im Rowohlt Taschenbuch Verlag GmbH,
Reinbek bei Hamburg, Juni 1989
Copyright © 1978 by Rowohlt Verlag GmbH, Reinbek bei Hamburg
«Les Frustrés» erschien 1976 im Selbstverlag von Claire Bretécher
in Zusammenarbeit mit Éditions Garnier Frères, Paris
Deutsche Texte von Rita Lutrand und Wolfgang Mönninghoff
«Les Frustrés» Copyright © Claire Bretécher
Alle deutschen Rechte vorbehalten
Bild des Autors (S. 2) © Quennville
Gesamtherstellung Clausen & Bosse, Leck
Printed in Germany
780-ISBN 3 499 12559 5

Für den, dem ich alles verdanke...*

*...das kostet nicht viel
und macht 'ner Menge Leute Freude

WIE ICH MEIN KIND ERZIEHE

⟶

DAS GROSSE MÄDCHEN

Wenn du freundlich Guten Tag sagst,

gibt dir Madame Leveau auch ein schönes Zuckerchen...

Guten Tag, Madame Leveau...

Das war aber lieb von dir!

BOHEME

Überhaupt: Die Leute geben viel zuviel Geld aus. Ich war übers Wochenende in Marokko. Rate mal, was mich das gekostet hat...
Nur so, sag eine Zahl...
Hmm?
Hundertsechzig Francs und keinen Centime mehr!
Soll das ein Witz sein? Flugkarte und Hotel allein kosten schon...
Schon, schon, aber das ging auf Firmenkosten. Nein, ehrlich! Aus meiner Tasche habe ich alles in allem 160 Francs bezahlt.
Da möchte ich bloß wissen, was du mit deinem Gehalt machst

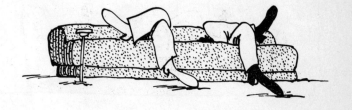

DER KLEINE KATECHISMUS

Ich weiß, du kannst nichts dafür, Anna. Aber hör' mal gut zu!

... ganz typisch... Opfer der Phallokratie... männlicher Chauvinismus... Männlichkeitswahn...

... intellektuelle, ökonomische und emotionale Abhängigkeit. Zerstörung der Persönlichkeit... Kastrationskomplex...

... wir müssen uns wehren... selbst verwirklichen... Scheiß auf Pierre. Du bist nicht allein... schwesterliche Solidarität... Tausende, die kämpfen...

Ja, du hast wohl recht, aber was tun? Wir Frauen sind nun mal die Schwächeren...

BRETECHER

Hi-Fi

Einen japanischen!
Rührend!

Es geht mich ja nichts an,
aber mit einem Boudin
hast du zweimal 50 Watt sinus!

Das schon, aber
keinen physiologischen
Filter...
und die
Boxen?

Da kommst mir Andio
in Frage. Der hat einen
Frequenzgang von
20 bis 20.000 Hertz.

Die Werte sind
mäßig!

Ihr geht mir
auf den Geist!

Was ist
denn
jetzt
los?

Du kannst
doch tun, was
du willst,
schätzchen, es
sind
deine
Piepen.

Ich meine nur:
man soll lieber
gar nichts
kaufen, wenn man
sich nichts wirklich
Gutes leisten
kann.

Na, Hauptsache,
du hast Spaß dran!

BRETECHER

DER FREUND VON ERNEST

außerdem hatte Platkorski schon immer Komplexe wegen seines Aussehens. Wissen Sie, warum er einen Bart trägt?
Weil er überhaupt kein Kinn hat! Keine Spur von einem Kinn. Das war schon immer sein Problem...
und vor 20 Jahren hat der alte Lemercier natürlich nicht geduldet, daß seine Angestellten einen Bart tragen.
Er ist ja auch im Umgang mit Frauen total verklemmt, man kann sagen, daß er praktisch noch unschuldig ist...
...aber all das hat ihn bekanntlich nicht daran gehindert, Karriere zu machen Und wenn er heute arrogant und krankhaft empfindlich ist, dann verstehe ich das rein psychologisch
Von mir aus kann er machen, was er will— ich halte zu ihm...
BRETECHER

FERNSEHEN

BRETECHER

MUTTERGLÜCK

GEDANKEN

Eins ist mal
sonnenklar, es ist
höchste Zeit, sein
Leben zu ändern...

wir stehen vor der
unausweichlichen
Umwertung aller Werte

Genau!
Nimm doch bloß so fest
verankerte Institutionen wie
Familie und Ehe,
da geht doch alles
drunter und drüber...

im Grunde muß man
eine ganz neue Art zu
leben
erfinden...

... und vor allem einen
neuen Lebens INHALT!
Die Religion
tut's eben
nicht mehr...

Ach, glaub das nicht. Die
Menschen stehen noch voll in
der jüdisch-christlichen
Tradition.

Aber mehr
unbewußt...

FROHES FEST

BETHLEHEM

BRETECHER

DER GEHEMMTE

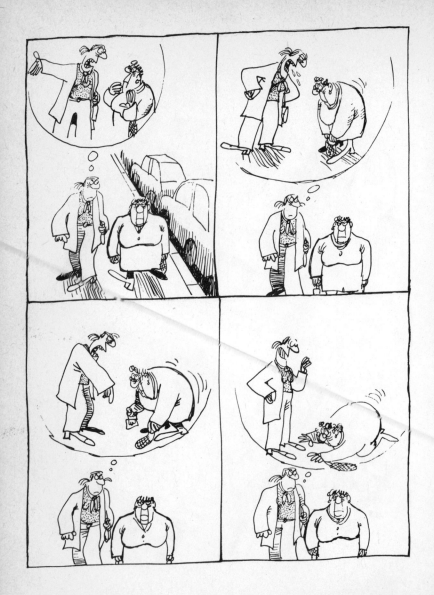

FERNSEHEN

EMPFÄNGNISVERHÜTUNG

vor allem kein weiteres Kind, Madame Moriceau, mit Ihrem Herzen...

Sie haben gut reden, Herr Doktor, aber was mein Mann nicht kriegt, das nimmt er sich!

Zählen Sie die Tage, Madame Moriceau...

Bei meinem Großen, dem Bernhard, hab ich gezählt, bei meiner Tochter auch, und bei dem Kleinen...

Sehen Sie zu, wie Sie's machen, Madame Moriceau. Keine Schwangerschaft mehr!

O

Ach, weißt du, all das chemische Zeug... an den Gerüchten über Krebs wird schon was dransein. Sag doch Dédé, er soll aufpassen... ich an deiner Stelle...

Also ich hab das überhaupt nicht vertragen. Eine Blutung nach der anderen... Und warum sollen eigentlich immer wir die Leidtragenden sein? Sag doch, Dédé...

Ich hatte es Ihnen doch gesagt, Madame Moriceau, keine Schwangerschaft mehr!

BRETECHER

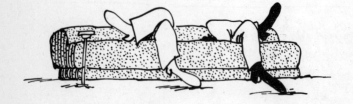

EIN EINFACHER MANN

Ostern waren wir bei Juliettas Mutter in der Touraine, da hab ich mich eine Stunde lang mit dem Gärtner unterhalten...

ein fabelhafter Mann! Hab echt was dabei gelernt...

...natürlich ist er ganz ungebildet, der Mann hat vielleicht einen Wortschatz von zweitausend Wörtern...

aber ich hab trotzdem keinerlei Schwierigkeiten gehabt, mich mit ihm zu verständigen... War echt so was wie eine Begegnung...

GUTE VORSÄTZE

Ich bin fest entschlossen, dieses Jahr mehr Sport zu treiben.

Ich auch. Wollen wir uns zusammentun?

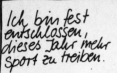

O.K.! Ich weiß schon die besten Hallenbäder... das im INTERCONTI ist nicht schlecht. Schwimmen ist was Reelles... in den Sommerferien bin ich fast meine ganze Zellulitis losgeworden.

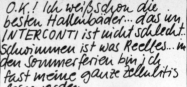

Ist aber schlecht für die Haare... wegen dem Chlor und so. Nachher sieht man immer verboten aus...

da nimmst du eben eine Badekappe!

Entweder lassen sie doch Wasser durch, oder sie reißen dir das Haar vom Kopf. Die Frisur ist auf jeden Fall hin und du mußt dauernd mit einem Föhn rumziehen...

Also: Schwimmen = Fehlanzeige!

Aber Tennis! Tennis ist Spitze! Hab mich auch schon umgehört...

Es gibt städtische Plätze, gar nicht teuer, da kann man morgens früh hingehen... warte mal...

Für die Oberschenkel ist das aber nichts...

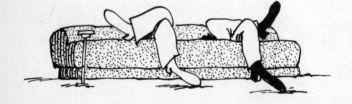

IDENTITÄTSKRISE

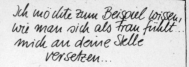

Es macht mich ganz krank, daß man nicht aus seiner Haut heraus kann... schrecklich, so eingeengt zu sein!

Find ich auch

Ich möchte zum Beispiel wissen, wie man sich als Frau fühlt... mich an deine Stelle versetzen...

Hast du 'ne Ahnung!

Wenn du mich fragst, ich kann kaum noch in den Spiegel sehn. Ich lechze geradezu danach, jemand anderes zu sein.

Scheußlich, daß man nur man selbst ist. Ich zum Beispiel wäre gern Agnelli. So 'n Leben ist Spitze! Oder ein indischer Guru...

→

und ich möchte
Alice Schwarzer sein. Ich
kann mir gut vorstellen, daß
ich Alice Schwarzer wär,
oder eine einfache
Bäurin...

Gar nicht übel... ich
wär gern Picasso, obwohl
das natürlich nicht mehr
möglich ist. Der ist ja tot.

Und du? Mit wem
möchtest du
tauschen?

Mit keinem...
Ich bin zufrieden,
so wie ich bin.

DIE INTELLEKTUELLEN

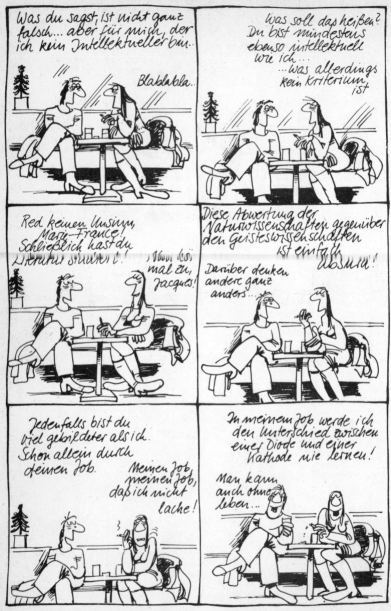

KINDER

BRETECHER

VOLKSWIRTSCHAFT

EMPIRISCHE POLITOLOGIE

Monsieur Lemercier, Sie sind Chef einer kleinen Firma, können Sie mir sagen, warum Sie Giscard gewählt haben?

Weil ich Stuhlfabrikant bin, und in der Stuhlbranche ist man traditionell rechts!

Die Firma Lemercier wurde 1885 von meinem Großvater gegründet und hat bis 1968 einen befriedigenden Aufschwung genommen

1968 gab es stuhlmäßig gesehen einen Einbruch zugunsten des Sitzkissens...

...weil alle Linken, alle diese Pseudo-Intellektuellen, nicht mehr aufrecht sitzen können, sondern sich auf Kissen, Teppichen oder gar auf dem blanken Fußboden herumflegeln

1974 war unsere Produktion im Vergleich zu 1967 um 60% gesunken. Und wenn die Linken an die Regierung kommen, bedeutet das das Ende des französischen Stuhles.

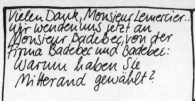

Vielen Dank, Monsieur Lemercier..
Wir wenden uns jetzt an
Monsieur Badebec, von der
Firma Badebec und Badebec:
Warum haben Sie
Mitterand gewählt?

Weil ich wärmespendende
triboelektrische
Bauchbinden
herstelle...

Es ist doch so, daß die
Menschen, je tiefer sie sitzen,
um so leichter vom Aufstehen
Rückenschmerzen bekommen,
und darum zunehmend
wärmespendende, triboelektrische
Bauchbinden
benötigen.

deshalb bin ich durch
und durch links und
wähle Mitterand.

Wie kleinkariert,
Monsieur!

Sie sehen nur Ihr
lächerliches Privatinteresse,
Monsieur!

Und Sie sperren   Lump!
sich gegen jeden
Wechsel!

Aber meine,   Opportunist!
Herren!

Sie hörten eine Untersuchung
des I.F.R.E.S. über das
Wählerverhalten der
Franzosen.

CRRR   CRRR

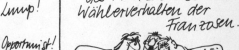

BRETECHER

STAATSBÜRGERKUNDE

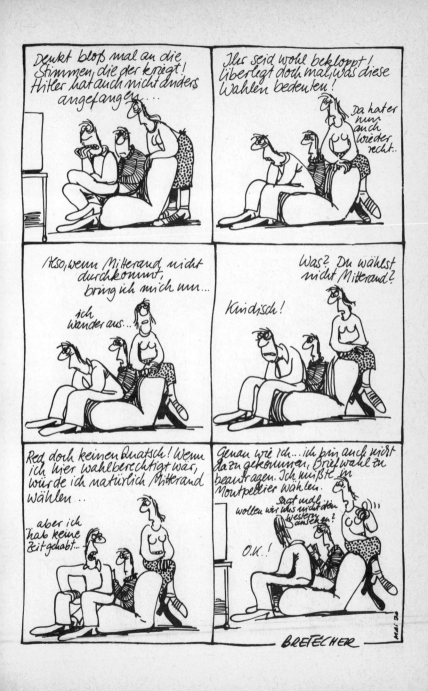

DER KLASSENLETZTE

DIE KIRCHE IN UNSERER ZEIT

Monsignore Marty, die Kirche durchläuft gegenwärtig eine schwierige Periode, und Sie haben sich bereit erklärt, auf die konkreten Fragen zu antworten, die sich die Christen in aller Welt stellen...

So ist es!

Wie steht die Kirche zur Glaubenskrise?

Das ist eine sehr ernste Frage... Ich würde sagen, daß es sich nicht um eine Krise handelt, sondern um eine Mutation, um die Suche nach einem ehrlichen Dialog mit Gott...

Ganz im Sinne des Evangeliums

Monsignore Marty, sollen von der Kanzel politische Meinungen verkündet werden?

Das ist ein weites Feld... die Kirche ist verpflichtet, in verantwortlicher Weise Gottes Wort in der Welt zu verbreiten und durch die Ereignisse hindurch auf brüderliche Weise Jesus Christus zu suchen...

Was halten Sie von den Immobilienspekulationen der Kirche?

Das ist ein heikles Problem, das schwierige Gewissensfragen berührt. Das Evangelium ist im Immobilienhandel schwer zu verwirklichen...

Darum muß man hier im Sinne des Evangeliums viel Verständnisbereitschaft aufbringen...

Die Scheidung?

Das ist ein schmerzliches Problem, aber Gottes Barmherzigkeit ist unendlich, alles muß auf dem Wege der Wahrheit getan und Wichtiges von Unwichtigem unterschieden werden...

Der Zölibat? Hier haben wir es mit dem heiklen Problem der sakramentalen Verfügbarkeit zu tun. Die Frage nach der Berufung im Sinne des Evangeliums muß in einem dialogfreundlichen Umfeld gestellt und beantwortet werden...

Die nukleare Bewaffnung? Diese Frage muß im Geiste des Friedens gesehen werden. Die Kirche soll, wie es das Evangelium lehrt, den Menschen die Liebe bringen.

Die Abtreibung! Das ist ein brennendes Problem. Die Kirche ist im Sinne des Evangeliums immer noch dagegen...

Auf jeden Fall sind wir im Begriff, in der katholischen Akademie ein Kolloquium über Gott zu organisieren, wo alle diese Probleme in einem Umfeld gemeinsamen Nachdenkens ihre Lösung finden werden.

Wir danken Monsignore Marty für seine präzisen Antworten auf die Fragen nach der Stellung der Kirche zu den Problemen der modernen Welt!

BRETECHER

MUFFEL

Darf ich fragen, warum du muffelst?

Ich muffeln? Na, wie ich das finde! ICH und muffeln!

Du machst den Mund nicht auf – wenn du das nicht muffeln nennst... Ich mach den Mund nicht auf, weil DU seit einer halben Stunde muffelst.

ICH soll muffeln? Seit ich zu Hause bin, hast du kein Wort gesagt.

Also das kann doch nicht wahr sein! DU kommst nach Haus und muffelst, und dann soll ich diejenige sein, die muffelt! Hör mal, du brauchst doch bloß zu sagen, heute habe ich Lust zu muffeln. Das kommt vor, und ich weiß Bescheid!

BRETECHER

KRITIKER

Miserabel!
überhaupt keine Distanz.
Als wenn es Brecht nie
gegeben hätte...

nichts verinnerlicht,
und politisch ist das alles
mehr als fragwürdig...
Die totale Kleinbürgerei!

Genau.

BRETÉCHER

BERUFSRISIKO

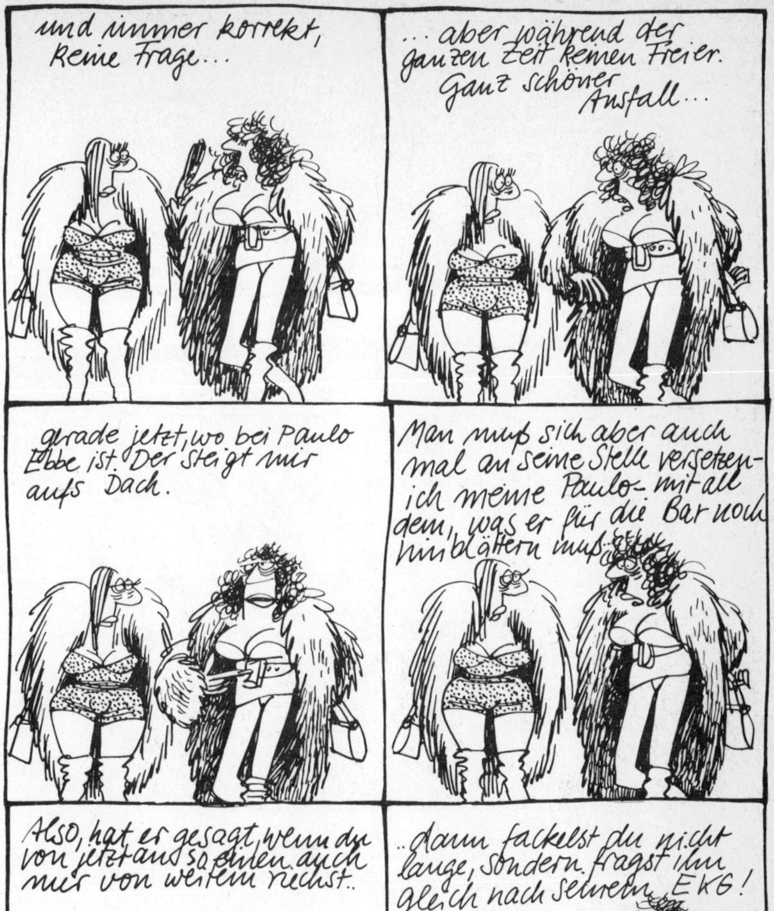
und immer korrekt, keine Frage...
... aber während der ganzen Zeit keinen Freier. Ganz schöner Ausfall...
gerade jetzt, wo bei Paulo Ebbe ist. Der steigt mir aufs Dach.
Man muß sich aber auch mal an seine Stelle versetzen- ich meine Paulo- mit all dem, was er für die Bar noch hinblättern muß...
Also, hat er gesagt, wenn du von jetzt an so einen auch nur von weitem riechst..
..dann fackelst du nicht lange, sondern fragst ihn gleich nach seinem EKG!
BRETECHER

WEEKEND

DRUGSTORE 74

Ihr wart doch hoffentlich am letzten Sonntag nicht im Drugstore St. Germain?

Mann, sei bloß still!

Stell dir vor, ich wäre FAST hingegangen! Wir waren gerade in der Nähe bei Maria...

...und ich hatte keine Zigaretten mehr. Da habe ich gedacht, gut, geh ich eben zum Drugstore...

ich war schon auf der Treppe, da kommt Jean-Paul...

und sagt, wo willst du hin, und ich sag, ich will zum Drugstore, Zigaretten holen, und er sagt, was rauchst du denn, und ich sag Gitanes Maïs, und er sagt: hier nimm, ich hab noch welche...

..so daß ich nicht hingegangen bin. Aber stell dir bloß vor!... um Haaresbreite!

Mannomann!

KÜNSTLER

Victor Gaspard, Sie sind einer unserer Top-Fotografen. Erzählen Sie uns von Ihrer Arbeit.

Also in zwei Worten: ich möchte den Augenblick in der Dauer festhalten und dabei immer wieder meine Versuche in ihrer Basisstruktur in Frage stellen. Kurz, so viel Signifikantes wie möglich in das Signifikat legen.

Mit Hilfe eines Apparates? Nunjaaa... aber darauf kommt es eigentlich nicht an...

Schön, aber was tun Sie praktisch? Ich lasse 10 Abzüge herstellen, numeriere und signiere sie und vernichte das Negativ...

und dann stelle ich aus und verkaufe.

Teuer.

Ist das nicht paradox, wenn man bedenkt, daß fotografieren doch gerade eine Technik ist, die eine unbegrenzte Reproduktion ermöglicht?

AAARRGH

Nehmen Sie dieses obszöne Wort sofort zurück!

Ich habe gefragt, ob das nicht etwas paradox ist, wenn man bedenkt, daß fotografieren doch eine KUNST der Reproduktion ist.

Und darum soll ich meine schönen Phantasmen bündelweise verkaufen wie ein gewöhnlicher

Dorffotograf!

Ich sehe nicht ein, warum ich jedem Spießer meine Kreationen für einen Apfel und ein Ei überlassen soll, wo es genug Leute gibt, die ihre Piepen in Kunst anlegen.

Stimmt. Sie haben sich ja gerade ein Landhaus in der Dordogne und einen 35er Rolls gekauft... Im wesentlichen geht es mir darum, zu zeigen, daß die Kunst keine Klassenkunst mehr ist, sondern daß jedes Individuum sich ausdrücken kann und soll.

Ich sehe den Zusammenhang nicht..

Ich auch nicht, aber diesen Satz muß man immer anbringen.

Victor Gaspard, wir danken Ihnen für dieses Gespräch.

BRETECHER

SOIR DE PARIS

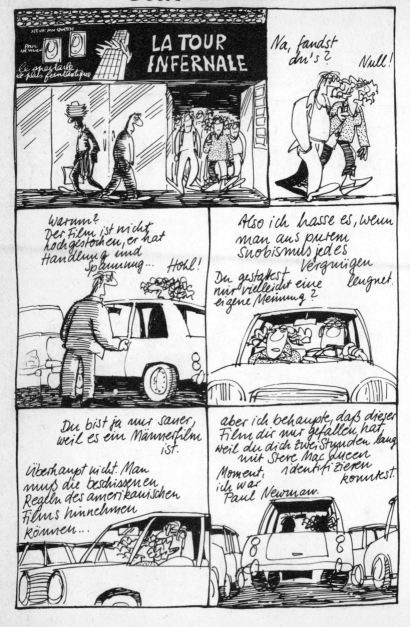

OMA HAT 'S SATT

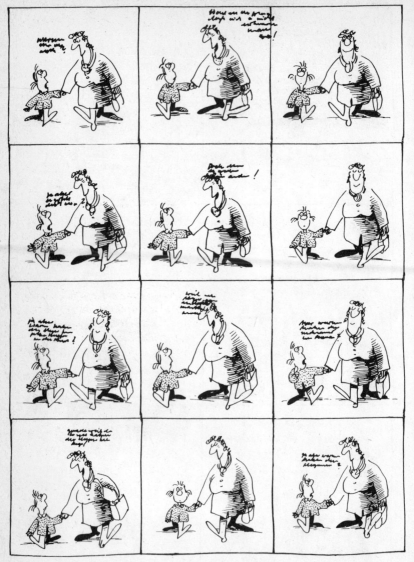

MAMA

BRETECHER

WIE MAN SEIN HERZ VERLIERT

Und dann hat er gesagt: "Wir wollen doch nicht über deine schöne Seele reden! Wann gehen wir zusammen ins Bett?"

Das hat mir nicht gepaßt und ich hab gesagt: "Das paßt mir nicht, ich hab im Augenblick keine Zeit..."

Daraufhin er: "Bravo! Keine Zeit! So was muß einem einfallen! Also, wann schlafen wir zusammen?"

Und ich: "Hör zu, das geht im Moment schlecht, ich bin gerade mal treu..."

"Haha," sagt er, "ihr Emanzen seid doch alle gleich, ihr könnt mich mal! Erst habt ihr 'ne große Klappe und dann seid ihr verklemmter als eure Omas..."

"...Jungfrau ist nicht mehr gefragt... lernt ihr das nicht bei eurer woman's lib!"

Ich wußte nicht mehr weiter und hab gesagt: "Außerdem bin ich frigide."

Daraufhin er: "Ach nee, das sagt ihr jetzt alle, das ist wohl die neueste Masche.

Dann hast du bisher mit dem Falschen gebumst.

Obendrein solltest du die Zeit nutzen, solange du noch gefragt bist. In 5 bis 6 Jahren ist es eh zu spät!"

Er ist überhaupt nicht mein Typ und ich kann ihn nicht ausstehen, aber das kann ich ihm doch nicht so platt sagen.

und er würd's mir auch nicht glauben...

BRETECHER

KLEIDERORDNUNG

Ich find's top, daß hier alles so relaxed ist!

Wenn ich an die armen Schweine denke, die in Schlips und Kragen zur Arbeit erscheinen müssen!

Es gibt Vereine, da wird man schief angesehen, wenn man im Rollkragen kommt.

Mann, sei bloß still!

Mir müßte man Kleidergeld zahlen, bevor ich mich in Schale werfe!

Lieber häng ich mich auf.

Kannst ja nicht mehr in den Spiegel gucken.

Mir wird ganz anders!

Das ist ein Eingriff ins Privatleben!

Genau!

SCHEIDUNG

SCHEIDUNG

DIE ÜBERLEBENDEN

Wenn ich denke, wie meine Mutter mich erzogen hat, kann ich mich bloß wundern, daß ich nicht schizo bin...

Hast du "Family Life" gesehen? Also bei uns war's noch zehnmal schlimmer!

Ich bin der lebende Gegenbeweis für Bruno Bettelheim.

Meine Mutter hat wirklich alles getan, damit ich autistisch werde...

Meine auch.

Mit 4 Wochen hat meine Mutter mich auf den Topf gesetzt und mir die Hände festgebunden, damit ich nicht Daumen lutsche...

Meine hat geglaubt, daß man ein Kind nie hochnehmen darf, wenn es weint...

Mein Vater hat mich stundenlang in die Besenkammer gesperrt!

Mich hat man ans Tischbein gebunden...

TRAUTES HEIM

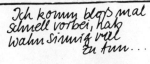
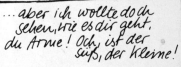

Ja, ich muß den Botschafter von Boio vom Flugplatz abholen, und allein die Fahrt ist eine Katastrophe. Nachher muß ich noch zur Pressekonferenz...
und dann muß ich die idiotische Frau des Botschafters noch zu Yves St. Laurent bringen! Scheißberuf!...
Na ja, schließlich muß man seine Brötchen verdienen. Übrigens, nächste Woche geh ich nach Iran... wenn du einen Teppich brauchst, ...
der Kleine ist wirklich süß...
Und du hast dich nun entschlossen, nicht mehr zu arbeiten? Na ja, ich bin für individuelle Freiheit. Und Robert? Immer noch Beamter? Keine Probleme!
Manchmal frage ich mich, ob ich dich nicht beneiden soll...
Sei froh, daß du ihn hast! Ciao!
SLAM

GITTCHEN BONGIORNO

ORANGENHAUT

Eine Freundin von mir hat sich bestrahlen lassen. 60 Francs die Sitzung. Eine Unverschämtheit!
Ich hab eine Kollegin, die hat sich mit Jod massieren lassen, das soll nicht schlecht sein... mußt mir mal die Adresse geben...
Sag mal, glaubst du, daß man in Tunesien oben ohne gehen kann?
Kann ich sowieso nicht, bei mir sitzt der Bleistift zu fest!
Sei froh! Ich hab nie einen Busen gehabt und werde auch nie einen haben.
Du kannst von Glück reden!
Im Grunde ist es mir egal wie ich aussehe.
Mir auch.
BRETECHER

EIN MANN MIT PRINZIPIEN

Baumwolle auch nicht. wegen
der Zahlungsbilanz mit Indien
und Afrika.

Weg mit dem spanischen
Leder, solange die Basken
nicht frei sind...

Schluß mit den synthetischen
Stoffen, ich hasse die Multis.

So!

ES IST ANGERICHTET

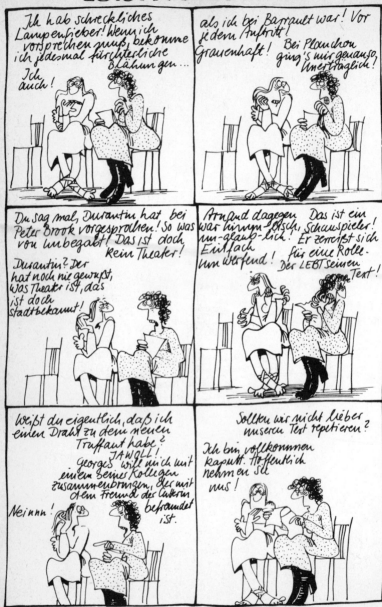

DEM REINEN IST ALLES REIN

Für "Die kleinen Strichlerinnen" hatte ich nur ein Budget von hundert Riesen.

Ganz einfach... ich rechne mit drei oder vier Tagen Dreharbeiten, je nachdem... drei Tage Schnitt und 24 Stunden Mischung.

Gedreht wird bei einem Freund, der ein Louis XIII-Schloß in der Sologne besitzt. Kostet mich keinen Centime. Er will bloß zuschen.

Warum sieht man eigentlich nie Pornofilme mit einem guten Drehbuch! Einen guten Film und obendrein porno.

Mit Humor zum Beispiel und gut fotografiert. Warum nicht? Das zahlt sich nicht aus.

Ihr vergeßt, daß unser Publikum zu 90% aus Gastarbeitern besteht. Und ein Gastarbeiter pfeift auf schöne Fotografie.

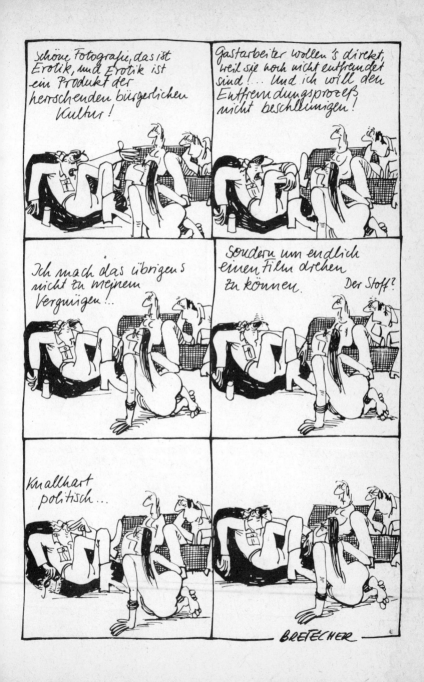

CORINNE

AM STRAND

Eigentlich bin ich enttäuscht. Ich dachte, hier wär kommunikationsmäßig mehr los...

ich dachte, hier gäb's mehr echte Kontakte, ich meine tiefere und gleichzeitig freiere Beziehungen...

aber es ist schließlich doch immer das gleiche. Die Leute wollen alle nur nehmen und nichts geben.

ich will ja gern initiativ werden, aber ich erwarte eine Reaktion...

die meisten umgeben sich mit einem blödsinnigen Verteidigungssystem, das sie zu einem ganz absurden Verhalten zwingt...

ich finde, daß echte Beziehungen den Respekt des anderen als Person einschließen...

PFEFFERMINZTEE

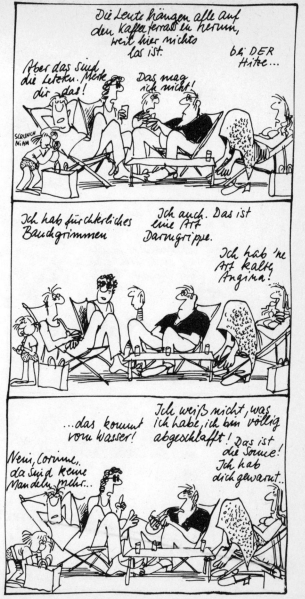

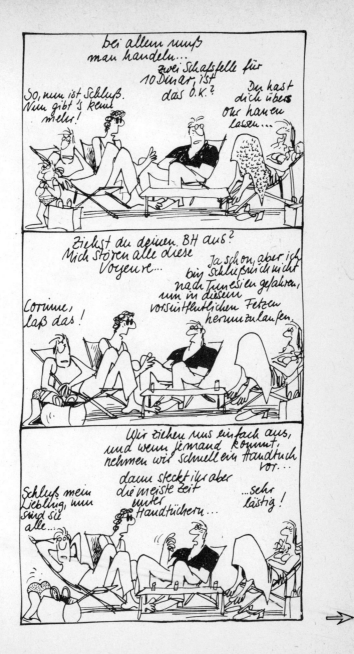

FINANZEN

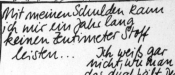

«Was ich ausgegeben habe...

...geht auf keine Kuhhaut!» ist ein oft gehörter Stoßseufzer. Doch ob das Sparprogramm, statt Fleisch Sojabohnen zu essen, weiterhilft, bleibt zweifelhaft...

Da gibt es Sparprogramme, die wesentlich effektiver sind.

DIE VORKÄMPFER

Wir haben im 'Nouvel Observateur' harte Kämpfe ausgefochten...

wir sind gegen die Immobilienspekulation zu Felde gezogen und gegen die Vetternwirtschaft in der UDR,

wir haben den Zionismus heftig angegriffen...

wir haben uns für Mitterand eingesetzt und das gemeinsame Programm der Linken verteidigt

Wir haben gegen den Ponjadismus geschrieben und uns gegen die Verdummung der Arbeiter durch die Massenmedien gewehrt...

Wir haben den Abtreibungsparagraphen bekämpft...

wir stellen die profitgierige, kapitalistische Ärzteschaft und die pharmazeutische Industrie an den Pranger...

LINKER ZUCKER

→

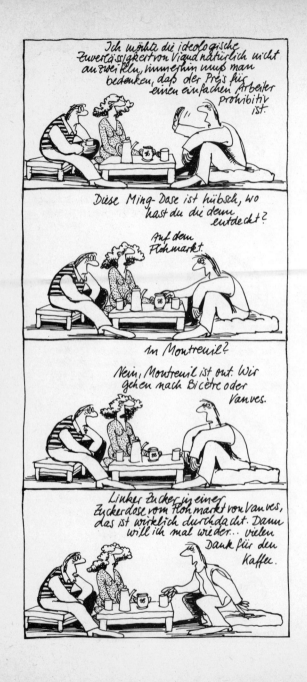

UNDERGROUND

Die sind doch alle gleich!

Als ich Chris kennenlernte, war ich Packer in 'nem Warenhaus, und er sagte zu mir: 'Du wirst ausgebeutet; was ja auch stimmt...

das war, als er diese Undergroundfilme machte über den wilden Streik in der Knopffabrik von Saint Julien...

Acht Monate haben wir geschuftet. Ich hab die ganze Zeit Scheinwerfer geschleppt. Danach kamen die audiovisuellen Undergroundmontagen über Chile...

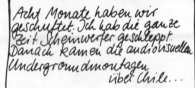

Wenn's ums Reden ging, dann waren Chris und die anderen vorneweg, wenn's aber ums Arbeiten ging... naja, schließlich ging das auch den Bach runter.

Danach hat Chris den Kurt kennengelernt, und wir haben angefangen, Underground-Comics zu machen. Das war echt Subkultur, mit eigenem Vertrieb, und so...

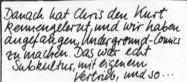

BRETECHER

DAS JAHR DER FRAU

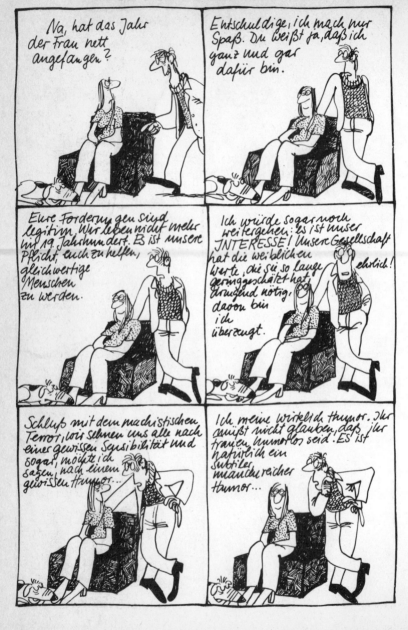

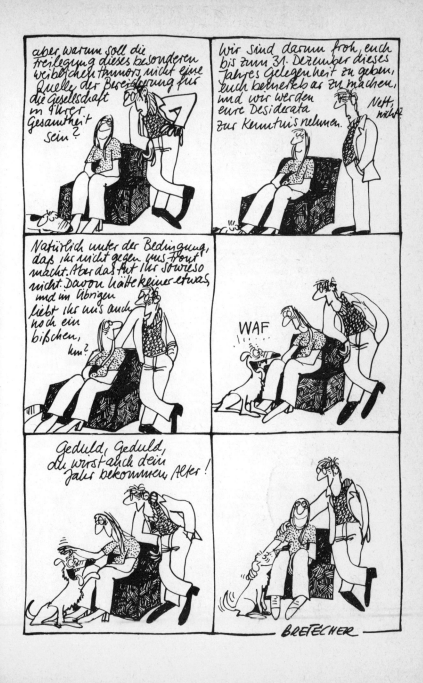

DIE NEUEN PHILOSOPHEN

Claire Bretécher

Die Frustrierten
Band 1 – 5
Deutsche Texte von
Rita Lutrand und Wolfgang Mönninghoff
Je 64 Seiten Comics. Kartoniert

Frühlingserwachen
Zwei Bildergeschichten für
frustrierte Eltern
Deutscher Text von Rita Lutrand
und Wolfgang Mönninghoff
118 Seiten Comics. Gebunden

Die eilige Heilige
Deutscher Text von Rita Lutrand
52 Seiten Comics. Kartoniert

Die Mütter
Deutscher Text von Rita Lutrand und
Wolfgang Mönninghoff
64 Seiten Comics. Kartoniert

Monika, das Wunschkind
Deutscher Text von Rita Luntrand und
Wolfgang Mönninghoff
72 Seiten Comics. Kartoniert

Dr. med. Bobo
Band 1 und 2
Deutsche Texte von Rita Lutrand und
Wolfgang Mönninghoff
Je 52 Seiten Comics. Kartoniert

Claire Bretécher/Isabelle Jue/
Nicole Zimmermann
Le français avec les frustrés
Ein Comic-Sprachhelfer
rororo sachbuch sprachen 8423

C 2361/1

Kleine Nachttischbändchen

Eine Auswahl

Manfred Kyber
**Ambrosius Dauerspeck und
Mariechen Knusperkorn**
Unter Tieren mit Manfred Kyber
160 Seiten. Gebunden
**Das patentierte Krokodil
und andere Tiergeschichten**
120 Seiten. Gebunden

Raymond Peynet
Mit den Augen der Liebe
Ein Bilderbuch für zärtliche Leute
192 Seiten. Gebunden
Sprache des Herzens
Ein Bilderbuch für Empfindsame
120 Seiten. Gebunden
Zärtliche Welt
Ein Bilderbuch für Liebende und
andere Optimisten
180 Seiten. Gebunden

E.O. Plauen
Vater und Sohn
38 Bildergeschichten mit
Zeichnungen des Autors.
128 Seiten. Gebunden

Gregor von Rezzori
**Die schönsten maghrebinischen
Geschichten**
180 Seiten. Gebunden

Carl Zuckmayer
Der Seelenbräu
Eine Geschichte aus dem Salzburger Land.
Mit 20 Illustrationen von Otto Schauer
192 Seiten. Gebunden

C 2148/2 a